돌 속의 집

돌 속의 집

서현진

현대시학시인선 143

ㅎ|ㅅ

눈이 점점 어두워지는 엄마와
나 아닌 것이 없는 모든 것들에게

2024년 봄

차례

2부 여름

3부 가을

4부 겨울

1부

봄

목련

침대 위 하얀 시트가

툭,

탁

떨 어 진 다

잠이

확

깬다

봄꽃 2

우리는 봄의 환영에 취한 사람들
졸음 겨운 낯선 생
햇살은 창살로 쏟아지고

활짝 두 팔 벌린 당신 품에 안겼을 때
꽃송이들은 파도의 거품

뿌리 없는 것들이
도처에 환영처럼 날려요
잠시 미친 거지요
불임된 사람들이 몰려들어요

보세요 온 세상이 불타고 있어요
저세상 사람들이 무더기로 다시 돌아와 난장을 벌이네요

돌연
살고 싶은 시절이네요

봄

커피 맛은 언제나 쓰거나 달다

벤치에 남기고 간 종이컵

붉은 립스틱 회오리 미로 따라
철쭉은 어떻게 피어나는지

새의 몸통에 어떻게 색을 입히는지
나비 날개 가루는 어떻게 흐릿하고 비릿하게 만드는지

너의 웃음소리로
교정의 벚꽃은 만발하는데

흘린 커피 자국마다
지렁이 길은 더욱 찰지고

풀들의 세포를 기름지게 하던 너의 날숨들 따라

공기는 亂, 亂, 亂, 紛, 紛, 紛

봄은 비로소 너로 인해

쏟아진다

잔상

때가 되자
벚꽃 잎들이 일제히 추락한다

도로 위에 차들이 쌩쌩 달리자
이리 밀리고 저리 치일 때
벚나무 사이에 비쳐든 햇살

연한 살들의 먼지
희미한 그림자들

꼭 기억 조각들이 나쁘지만은 않지

잊고자 하는 것도 있지만 빛나는 순간도 있다고
거리는 너와 나로 아름다울 수 있다고
밀려갔다가 밀려오는 추억만큼 열매는 익는 거라
가짜 감정 따위에는 속지 말자고

손금 틈으로 흐르는 바람

다음 생에서는
중력 없는 곳에서
만나자는
부질없는 약속

화양연화

선잠과 누운 잠 사이
나는 벼랑시市에 산다

당신의 집게손가락이 가리키는 길 따라
내 전갈자리의 좌표를 읽는 일

발 빠른 포식자의 눈을 피해
절벽 끝에 이른 산양처럼

남에게 가장 위태로워 보일 때가
내게는 가장 행복한 순간이라고
절망을 단단히 딛고 서 있다

벼랑시市에서 자유롭게 뛰거나 날기 위해
바위틈 잡풀과 고인 물은 훌륭한 식사

온몸 푸른 상처

딱지꽃을 덕지덕지 붙이고

노래하고 춤추는 사람

벼랑에서 화양연화를 상상하는 사람

내면에 절벽을 가진 당신은

깊고 그윽하니

시간의 두께가 두꺼워질수록

벼랑도 평지에 가까워진다

그래비티

같이 살자

처음

전생의 기억을 더듬어 이 행성에 왔을 때

더 이상 늙지 않고 목이 마르거나 배고픔 따위 없다며

당신은 하얗게 웃었지요

모래가 잘록한 허리에서 떨어질수록

공중에 뜬 발 때문인지 자꾸 멀미가 나고

당신의 눈 속에 머물러 있는 것은

인공 눈물을 만드는 일

당신이 선물로 준

날개옷이 좀이 슬기 시작할 때

중력으로 주름이 깊어지는

지구의 인연들은 지금 무엇을 하고 있을까

땅 위에 발을 단단히 디뎌야지

피를 나눈 이들의 손을 놓지 말아야지

바람이 무심히 흘리고 간

귓속말

궁리항에서

머릿속의 말들을 풀어놓기 위해
오늘도 궁리항에 간다

밀려오고 밀려오는 바닷물 위
나의 궁리는 깨지고 부서져
게거품 물고

간혹 어떤 궁리는
물 위로 또르르 굴러갔다가
썰물로 되돌아온다

궁리항에 오면
바다 위 물거품들이
내 궁리를 만나 더욱 푸르고

어부는 그물을 던져

생의 질긴 힘줄을 건져내는데

갓 잡은 물고기

회를 뜨는 노점상 할머니들의 말 주머니는 신산하기 그지

없다

구겨진 생각을 굴리고 굴리다 보면

어느새 궁리는 바위에 붙은 따개비와 돌처럼 단단해진다

귀신고래

온몸

다닥다닥

따개비와 굴 껍데기 조가비

새끼를 업고

울산 반구대 암각화에서 귀신같이 도망쳐

유유히

어느 깊은 바다로 사라졌나

가슴을 울리는 노래

밀도 있는 이야기로

세상을 구할 수 없어도

한 사람을 구원할 수 있다는 헛된 믿음

입안에서 내내 맴도는

노래 한 가락

선명한 귀신고래 울음소리

전설처럼 들을 수 있다면

짙푸른 바다 위

긴 호흡으로 무지갯빛 물 분수 흩뿌리는

모습을 볼 수 있다면

오롯한 비밀을 간직한

신출귀몰한 너

takes it all

태생

남당항

갈매기는 여전히 3자를 그리며 날고 있고
게는 평생 옆으로 걷는다
구멍 난 모래 속에서 슬쩍 빨판을 내미는 조개

바람은 섬을 밟고 오고
바닷물은 여전히 바위에게 투명 옷을 입히고 있다

갯벌에 기대어 사는 사람은
정확한 물때를 알고

깊은 바다로 두려움을 밀고 나가는 어부는
풍어를 기원하는 노란, 빨간, 초록 깃발을 달고 있다

저 멀리

파도의 혀가 보이는 곳에
한 남자 아이가 엉덩이를 드러내고 오줌을 길게 눈다

주홍빛으로 번지는 남당항

뺨에 스치는 한 줄기 바람
비릿한 냄새가 훅 끼친다

단추

저녁에 집에 돌아와 체크무늬 남방을 벗는데

단추 하나

긴 실 하나 남긴 채

비 · 어 · 있 · 다

우리의 인연도 저 단추 같지

꼭 붙어있다

어느새 헐거워져

흔적만 남긴 채 사라지는 것

비슷한 단추를 골라 자국만 남은 빈 곳에 꿰매어본다

왠지 어색한 자리

떨어진 단추는

어디에 있을까

잃어버린 마음 한쪽을 찾아

두 눈 굴리며

어두운 골목을 헤매고 있을까

자신의 이름을 잊어버린 채

서커스

당신은 천장 높은 그네에
무릎을 걸고
거꾸로 흔들흔들

나는 다이빙대에 숨을 가다듬고
두 바퀴 회전 후 뛰어내리며
아슬아슬하게 당신의 두 손을 잡을 때

환호하는 관중

믿고 던지는 몸

두 팔로 균형을 잡으며
가볍게 착지

지상에서의 사랑은

지루해

허공의 긴장만이
우리 사랑 유지하지

하늘을 날던 새도
지상에 무덤을 만든다는 사실을 잠시 잊고

얼굴 2

유리 조각으로 한 꺼풀 긁어내면
무엇이 보일까
항상 웃는 너의 얼굴이
꽃잎의 앞면일지 뒷면일지

목에 깁스하고
사다리를 오르면 무엇이 보일까
목이 짧은 사람들이 쳐다보면
기분은 무슨 색일까

하늘을 날고 있던 새가 똥을 찍 갈기면
누구 머리 위에 떨어질까

바위의 표정과
꽃의 표정이 헷갈릴 때
아수라 백작의 얼굴이 되지

집을 나설 때마다

피에로처럼 입을 크게 그려 넣고

웃어보면

어느 것이 진짜 표정인지 모르지

사람들의 눈을 감쪽같이 속일 수 있지

이 세상에 나 아닌 게 없지

자동차를 운전하다 빨간 신호등 앞에 멈춘다
한 아이가 친구와 장난하며 횡단보도를 건너가는 중
학교 갔다가 집으로 돌아가는 나다

젊은 여자가 아기 띠에 아이를 안고 빵집으로 들어가고
있다
　나다

유모차에 편히 앉아 딸기 막대사탕을 입에 물고 있는 아이
가 보인다
　그것도 나다

눈이 잘 안 보이는지 안경을 콧등에 놓고 책을 읽고 있는
중년의 여자가 있고, 현관문 앞 계단에 앉아 한낮 햇볕을 쬐
고 있는 한 할머니가 스친다
　모두 나다

빼빼 마른 나무처럼 굳은 나를 관에 넣고 땅 깊숙이 묻는
자식들이 있고

얼마 지나지 않아 구더기들과 벌레들이 몸 곳곳에 구멍을
내고 있다

그것들도 나다

살덩이와 흙이 섞여 흐물흐물 식물의 양분이 되는 내가
있다

나무의 뿌리를 통해 잎맥의 광합성으로 초록 공기가 되는
나도 있다

분만실, 한 여자가 긴 진통 끝에 아기를 출산하고 의사가
아기 엉덩이를 살짝 때려 아기가 코로 공기를 삼키는 순간,

으앙으앙 태어나고 있는 또 다른 나

줄

나는 줄을 잘 못 서는 사람

고등학교 운동장 조회 시간
키가 작았던 나는 앞줄 세 번째
네 번째 친구가 어깨를 치며 말을 걸기에
뒤돌아보며 이야기하다 흐트러진 줄
재빨리 스캔하던 교련 선생
나를 단상 위로 세우더니
다짜고짜 내 뺨을 후려치고는
교무실에 불려 가
연습장 빽빽이 채웠던 반성문

정말 잘 못했습니다.
앞으로는 줄을 잘 서겠습니다

어른이 돼서도

똑바로 줄을 서지 못해
세상에 따귀를 얻어맞기 일쑤

날 선 줄에
내 혀를 핥아
혀가 잘린다 해도
다시는 개처럼 짖지 않겠다

푸른 서리의 길

알프람 0.25밀리그램

눈 감으면

머릿속을 쪼는 까마귀 떼

훠이 훠이 우주로 보내기 위한 알약

알사탕을 너무 많이 먹었나

이빨 자국 선명한 행성

쓴 기억을 잠으로 녹여

알람브라 궁전 같은 희미한 그림자

시간이 흐를수록 늘어지는 추

지구 뿌리를 힘껏 잡았던 손을 풀어놓고

같이 울어주는 별 하나

알프람 정情

잠과 죽음 사이를 살짝 건넌다

2부

여름

돌 속의 집

그림자 더욱 짙어질 때는 바다로 간다

밀고 당기는 파도
유난히 알이 굵은 반짝이는 돌 하나

볼에 대보면
귀에 대보면

만지작만지작

세상에 없는
풀로 먹인 모시
초록 밥상 차려 주시던
그 속에 집을 짓고 살던

손에 쥐고

잠이 들면

그림자 뭉쳐

나인 듯 크게

바다, 돌

바다 위
돌들이 날아다닌다

지난겨울
바닷속에 있던 바위의 씨가 열매 맺은
새 떼
새가 지나간
돌이 그어 놓은 하늘길이 하얗다

오랜 시간
작은 바위섬이 새를 키우고 보듬었다
새의 하얀 똥 무더기 뒤집어쓴 채
바위가 알을 낳은 것이다

바다 위 갈매기 떼
검은 그림자

출렁인다

모래사장 위 아이들
끼룩끼룩
웃는다

돌의 씨앗이 다시 움튼다

선샤인 무인텔 13호실

바다를 꿈꿨다

쿨렁쿨렁
섬을 찾아 닻을 내리기도 하였다

당신과 멀미 나는
항해를 늘 그리워했다

설익은

비릿한 물 냄새
갈매기 떼의 비명
자욱한 안개 더미
뒤엉킨 파도
먼 서쪽에서 쪽배를 타고 오는 낯선 영혼

끝내, 멀리 가지는 못하였다

얼굴 1

한 사람이 미워졌어요

입에 거품을 무는 날이 많아지고
꿈속까지 쫓아와요
얼굴이 다리에 딱 붙어
걸어 다닐 때마다 걸리적거려요

어느 날
보랏빛 붉은 노을이 지는 서해에 갔지요
얼굴을 최대한 멀리 던졌어요
눈을 떴다 감았다 하는 모습이 물결 따라 흔들려요
그냥 가려다 자꾸 뒤돌아봐요
바닷물에 젖은 얼굴을 다시 건져내기로 해요
어딘지 나와 묘하게 닮아있네요

집으로 돌아오는 길
다리를 심하게 절뚝거리기 시작하네요

귀신

할머니가 한여름 땡볕에 일하고 계실 때의 이야기다

그날은 혼자 콩밭을 매고 있었어야

무심코 허리를 펴서 앞산을 바라보고 있는디

검정 양복을 쫙 빼입은 남자가

산속에서 몇 걸음만에 금시 내 앞으로 걸어와서는

아짐, 잘 계시냐고 하며 우리 마을 돌아가는 사정을 이것

저것 묻더라구

이런저런 야그를 얼매쯤 했을 겨

그이가 이제 가야 한다며 인사를 꾸벅하는 겨

그러더니 다시 왔던 산 쪽으로 가는디 또 몇 걸음만에 쑥

들어가드랑께

나는 그랑가부다 하믄서

물 한 잔 보시기에 따라 마시며 밭일을 다시 할라 하는디

갑자기 퍼뜩 생각나는 게

음마, 아까 그 총각 몇 달 전에 급사했는디

아이고,

호미고 주전자 나발이고 뭐고

냅다 걸음아 나 살려라 하며 집으로 달려갔당께

그 총각도 혼자 무덤에 있을랑께 외롭고 무서웠나 벼

그때를 생각하면 지금도 등골이 오싹하당께

마을 앞산에서 한 번도 내려오지 않으시네

울 할머니

외롭고 무섭지 않으신가 보다

빗소리

국민학교에서 일찍 돌아온 날

집안의 싸늘한 고요

갑자기 불안한 기분에 휩싸여 한달음에 슈퍼와 쌀집을 운
영하는 외숙모 댁으로 달려갔다

외숙모, 할머니 여기 놀러 오셨죠?

외숙모 왈, 느그 할미는 니가 하도 말을 안 들어서 보따리
싸가지고 나가셨다 멀리 갔응께 찾지 마라 하신다

요 근래 할머니가 우리 육 남매 키우기 힘들다며 한숨을
자주 내쉬던 모습이 떠오른다 덜컥 겁이 나서 허술한 난간이
매달려 있던 이층집으로 돌아와 방 한가운데 앉아 그간 할머
니에게 말대꾸하고 잘못했던 일을 후회하며 엉엉 울기 시작
하였다 할머니가 집 안팎을 꼼꼼히 청소하고 난 후, 보따리
짐을 챙겨 어디론가 떠나셨을 할머니의 모습을 떠올리며 앞
으로 어떻게 살아가야 하나 걱정하고 있을 때,

뒷집 회색 양철 지붕 위로 후드득 빗방울 떨어지는 소리

드르륵

유리문이 열리고

바람과 함께 풀 먹인 모시 치마의 서걱거리는 소리가 들
리자

나는 방문을 활짝 연 채

뛰쳐나갔다

할머니~

뿌리

아이들이 머리와 줄기만 남아 있는 카네이션 꽃송이, 토끼
풀, 솔방울 등을 땅에 심고 그 위에 물을 듬뿍 준다

선생님, 잘 자라겠지요?

너희의 그 마음이
서로를 길러주는 거지

엄마 자궁에서 나와 탯줄을 자르는 순간부터
우린 모두 자신만의 동아줄을 찾아야 해

곧 시든다고 하지만

뿌리는 허공에 헛발질하면서 자라는 것

무모함이 생을 이루는 것

상처에서 잎이 나고 뿌리가 생기는 법

근본 없는 것들이라고 손가락질 당해도

한걸음

공중에

디뎌보는 거지

매미

오랫동안 나무뿌리 탯줄로
땅속 자궁에 붙어 살았다

어둠을 더듬으며
가까스로 기어 나와
천적을 피해 운 좋게 어른이 되었다

짝이 그리워 오래 울었다

남들보다 더 멋있게 보이려고 악다구니 쳤다

소리를 높일수록
여름날은 짧아져 갔다

생이 이렇게 잠깐일 줄 알았으면
나를 봐 달라고

알아 달라고

목이 터져라 울지 말 걸 그랬다

순간의 짝짓기

갑자기 조용해진

우주

전부이면서

아무것도 아닌

또 다른 나

지상에 세우려고

산책 4

바닥에 밟히는 발자국들의 무덤

걷는 발 사이로 발자국들이 툭툭 걸린다

들쥐의 발자국 따라 새끼 쥐의 촘촘한 발바닥

나비와 벌 떼의 발자국은 꽃과 꽃잎 위에
새의 발자국은 허공에 부딪쳐 뚝뚝 떨어진다

발을 잃어버린 노인의 발자국은 주인을 버리고
자전거 타는 아이들의 발자국은 체인 속에 돌돌 감겨
몸속의 엉킨 힘줄을 줄줄 흘리며 나아간다

걸을수록 길은 두꺼워지고
길을 열고 닫는 건
무수한 발자국들의 숨결

바다보다

하늘에 맞닿아 있는 수평선에 가고 싶어
16개의 계단을 오르면 더욱 가까이 잡힐 듯
너와의 거리만큼 멀어지는 바다

긴장을 늦추면 떨어지지
바다는 우리 속으로 밀려왔다 밀려가고
당신이 찍은 사진의 프레임 속은 언제나 정지화면

파도는 들어서는 안 되는 이야기로
물의 기억과 함께 뭉쳤다 부서지고

너와 나의 시선의 거리만큼
팽팽해지는 수평선 너머
아무도 오지 않는 섬에
네 개의 다리를 심을 수 있다면

바다보다

비

내가 태어나기 전부터

다리 없는 것들이 천지에 무수하다

후드득

얼굴 없는 영혼

강과 바다, 하늘을 거치며
쏟아놓는 이야기 더미

훅 끼치는
비릿한 몸 냄새

아직 죽지 않고
여전히 살아있다고

기억해 달라고

부르짖는

퍼붓는

수평이 되지 못한 것들의

울음

연다원*

반암 삼거리
가르마 같은 길을 쭈욱 따라
마을 사람들의 순한 눈동자 닮은 저수지를 끼고
아버지가 오래도록 일군 녹차밭
아들이 이어 찻집을 운영하는 땅

저수지의 물결이 산 그림자를 지우고
작은 산이 또 다른 작은 산을 업고 달린다

바람이 산을 휘돌아 모이는 자리
둥근 어깨 같은 산등선 위
지는 해는 그 긴 혀로 물 위를 핥아
사람들의 얼굴을 붉게 물들인다

매화 잎들은 물 위에 작은 손톱자국을 남기고
깊은 산 밑 계곡의 물이 저수지와 손을 잡는다

이윽고 지상의 소음을 지우고

아버지와 아들의 핏줄

땅의 맥박으로 호흡하며

유유히 흐른다

* 전북 고창 아산면 반암리 녹차밭에 위치한 카페

냉동실

내 깊은 곳에 커다란 냉동실 하나
꺼내지 못한 추억과 미련, 후회, 때늦은 사랑이 꽁꽁 언 채
빼곡히 들어차 있다
땅에 묻거나 바다에 던져야 하는
유통기한 지난 것들

기억은 냉동 생선처럼 무섭고 잔인한 것이라
죽은 것이 마치 살아있는 것처럼 집어삼키는데

푹 썩어질 것을 안고

행여
젊음도 박제될 것처럼
착각하며 이제껏 살았구나

눈目

길가

웅덩이가 소음을 잡아끌자

한 뭉텅이 구름

바람이 걸어간 발자국

떠다니는 나뭇잎 한 장

꿈꾸는 범무늬부처손의 날갯짓

가장자리를 끼고 도는 푸른 이끼

흙이 가라앉아 투명해진 물 위

쭈그려 얼굴을 비춰보면

뼛속까지 드러나는 부끄러움

흔들리며

가라앉는

어두운 그림자

도로의 외눈박이

오래된 사진

그날의 비행기 지나간 하늘

그날의 햇빛 소나기

그날의 짙은 산山 그림자 더미

그날의 희미한 미소

그날의 붉은 지붕

그날의 옥탑방

그때의 빨랫줄에 널린 분홍 이불

그때의 전깃줄 위의 참새 떼

그때의 철길 가 판잣집 한 채

그때의 놓쳐버린 새마을호 기차

그때의 12시 59분을 막 지나던 시곗바늘

그때의 귀퉁이 깨진 화분 속 토끼풀

그때의 앞집 대문에 서 있던 해영이

그때의 할머니와 큰오빠, 작은오빠, 작은언니 사이

주근깨 총총 박힌 열 살의 나

FUJI COLOR PAPER

여전히 자기들끼리 잘 살고 있더군

폭포

벼랑
떨어질까 날아오를까

하늘에서 내려온 해님 달님 밧줄
썩은 동아줄은 어둠 속에서 잘도 자라네

스스로 찾은
스스로 만든
열쇠가 아니면 결코 열리지 않는 문

내가 걸어왔던 뒤꿈치에 불을 질러도
목구멍에 걸리는 마음의 가시

벼랑에서
떨어지고, 떨어지고, 떨어져
몸이 부서져
이루는 물의 길

눈썹

할머니, 할머니가 살고 있는 숲은 어디에 있나요?

내가 살고 있는 숲 바로 옆에 있다는데 도무지 갈 수가 없어요

비가 세차게 내리면 울창한 나무들도 가끔 뽑히고

시간에 따라 하얗게 늙는 숲
화가 나면 모양이 살짝 변하기도 하지만

어딘지 묘하게 닮았네요

두 숲속에 잃어버린 메아리라도 풀어놔야 할까 봐요

할머니, 하고 크게 부르면

오냐 라는 대답이 달려올 수 있게요

원圓

길가에 꽃이 피고 벌레가 있고 물이 흐른다

오늘은 빨간 원피스를 입고 하얀 샌들을 신는다
모자를 쓰고 반바지를 입은 중년의 남자가 조깅을 하고
미적지근한 바람 한 줄기 스쳐간다
망초, 바랭이, 쑥부쟁이, 토끼풀이 덩달아 흔들린다

저만치 호수의 물결
지는 해가 물의 표면을 긴 혀로 핥고
주인 없는 갈색 강아지는 소나무 밑에 다리를 올리고 오줌
을 찍 갈긴다
풀숲 뱀 한 마리가 죽은 듯이 먹이를 기다리는데

물고기 한 마리가 물 위로 튀어오른다
은빛이다
호수를 한 바퀴 도는데 빗방울이 한두 방울씩 떨어지기 시

작한다

　자전거 탄 아이가 쌩하니 지나간다

　부딪힐 뻔했다

　걸음을 조금 빨리한다

　빗줄기가 점점 강해지고 있다

　어제와 그제도 똑같은 산책길이다

　우주가 조금 낡아졌다

　똑같은 원圓은 아니다

눈, 물

녹고 있는 것은 무엇인가요?

흘러내리고 있는 것은요?

검은 폐유를 뒤집어쓴 펠리컨은 푸른 숨을 내쉴 수 있을까요?

부리에 비닐이 묶인 새는 부스스 말라가요

물고기들 배 속에는 소화되지 못한 반짝이는 인조 조각들

살바도르 달리의 시계처럼

지구의 시간이 점점 녹슬고 있어요

우리는 어느 계절에 피었다 지는 꽃일까요?

3부

가을

끈

올드 카이로 외곽

넓은 마당 안에 무덤 세 개가 떡 하니 자리 잡고 있는 집

기웃기웃하며 지나가는 나를 머리가 벗겨진 이집트 아저씨와 히잡을 쓴 후덕하게 생긴 아주머니가 부른다 내가 영어 단어 몇 개와 손짓 발짓으로 무덤 옆에서 살면 무섭지 않냐고 질문을 하자 아저씨는 웃으며 "노 프라블럼" 고개를 좌우로 흔들며 대답한다

머리 풀어헤친 아이들은 무덤 사이로 깔깔거리며 숨바꼭질 놀이를 하고 흑염소 한 마리는 동글동글 똥을 싸대며 매애 거린다 파란 칠이 군데군데 벗겨진 무덤 위에는 흰색과 검은색이 섞인 새끼 고양이가 솜뭉치처럼 졸고 있다

무덤과 무덤에 매어놓은 끈 위 색색의 빨래가 바람에 흔들리고

수직으로 서 있는 사람들의 그림자 길이와

수평으로 누워 있는 죽은 자의 너비가

똑같아지는 시간

모스크에서 울려오는 먼 아잔 소리

가을에 살다 4

우수수
떨어지는 붉고 노란 새 떼

허공에 발을 뻗는 사람
나란히 벗어놓고 간 신발이 항해를 시작한다
어디든 정박하려고
이젠 더 이상 헤매지 말고
따뜻한 집이 되자고

우루루
감당하지 못하는 생은
어디든 닿지 못하는 것

허투루
죽이지 못하는 것도 있는 거라고

햇빛 창살이

지상에 철근을 꽂아

튼튼한 집을 짓는 동안

녹슨 손이라도 내밀어 보자고

떠나지 말고 끝내 살아 보자고

우겨보는 나날

나무 귀

매미들은 울음을 버리고
어디로 갔을까
껍데기만 남기고

그 속에
바람이 살다 가기도 하고
작은 벌레가 토막잠을 자기도 한다

몸만 지상에 두고
잠시 먼 행성으로 떠났다가
슬그머니 돌아오는 사람
애벌레처럼 가만히 누워 있으면
웅크린 검은 고요

벚나무에 귀를 만들어놓고 떠난 매미

그는 내 몸의 커다란 귀

아는 사람

당신은 그저 아는 사람

한때는 바다에 비친 햇살처럼 반짝이던 사람
한때는 낯선 노랫가락 같던 사람
한때는 당신 빼고 모든 게 배경이었던 사람
한때는 나 자신이었던 사람

욕심을 키우는 포식의 시간
불평불만의 잔가시
당신은 떠나는 내 등 뒤로
열 개의 칼을 꽂는 타로 카드

사시사철 꽃과 나무의 향기로 가득했던 집은
가시덤불과 해자로 둘러싸여 있는 먼지 가득한 성으로

이번 생에서는 다시는 옷깃도 스치지 말자
그리하여 당신은 그저 모르는 사람

사랑이 지나가는 자리

무엇이 잘못된 걸까
엎질러진 물은 감정을 앞서가는 시간 탓

말속에 씹히는 모래

밀려갔다가 다시 채워지는 파도는
서서히 눈금을 줄이고
거품만 부글부글

통째로 말라버린 화분
장미꽃 송이들을 뒤져
추억을 다시 꺼내려면
막힌 물관을 뚫어야겠습니다

오해와 소문이 무성한
가시들은 누구를 향해 있는지

줄기에 간신히 붙어있는 잎사귀

꽃송이와 영원히 만나지 못하는 운명

노란 진딧물만이 줄줄이 행진하고 있을 때

스스로 처절해지는 순간을 견디고 있군요

오늘의 날씨

당신은 서해 강풍과 한파로 인한 밀물주의보 소식을 보내
왔죠

음력 보름과 그믐 무렵 밀물이 가장 높을 때라 고립된 사
람들의 생존율이 떨어진다 하시네요

그간 우리의 입김으로

바다는 얼지 않고 고요했다고

서로의 맞잡은 손을 놓고

주먹을 쥐었을 때

주먹 안에는 꽃 대신에

날카로운 말들이 자라고 있다고

당신이 살고 있는 섬으로

감당할 수 없는 파도가 밀려와 위태롭다고

게거품 무는 파도의 기별

마주 보던 눈빛이 산산이 부서져
냉해로 얼어붙은 따개비와 해초들

돌이킬 수 없는 건
마음뿐만이 아니라고
서걱거리며 수군대는 모래

투명

햇살이 쨍쨍한 가을
운동장에서 그림자밟기 놀이를 한다
뛰어가는 나를 쫓아오는 아이들
눈도 코도 입도 없는 그림자의 통증

아이들의 그림자를 피해 숨는다
그동안 무심히 밟았던
사람들, 나무, 꽃
산 그림자, 물 그림자

죽는다는 것은
그림자를 투명하게 만드는 일

반쯤 지워진 내 그림자
사이
이미 투명해진 영혼들은 어둠 속에서 춤을 춘다

길어졌다 짧아졌다
꺾어지고 풀어지고

그림자를 갖고 있는 것들은
죄다
아 프 다

문득

애기가 왜 잠만 잔다냐

젖도 안 빨고 니 아버지는 어디 갔다냐

아랫마을에서 윷놀이한갑다

느그 아버지 언능 데려와야 쓰것다

엄마는 아픈 오빠를 업고 어쩔 줄 모르고

아버지는 흰 손가락으로 어두움을 더욱 어둡게 칠하시는데

어쩐디야

현진이가 열이 펄펄 끓는디

싸게싸게 서울에 있는 병원이라도 가야 쓰것다

여보, 어디 싸돌아 댕기지 말고 점방 잘 보고 있으쇼잉

금방 갔다 올탱께

엄마는 대여섯 번 신발 신듯이 버스를 갈아타고

울 애기 주사 맞혔응께 다 낫겠지라

다 나으면 그전보다 더 똑똑한 아이가 될 거예요

죽은 니 오빠는 너보다 인물이 훨씬 나았다는

나의 그림자를 더욱 길게 만드는

사람들의 쓰디쓴 말

하늘을 지우고 덧칠하는 시간

팔순이 넘은 엄마는 아직도 7개월 된 오빠를 업고

햇빛 고요하고 나른한 시간

삼색 고양이 한 마리 분홍 새끼 쥐 입에 물고

우주 어디쯤 한 줄기 여릿한 빛

영혼을 끌어당기고 있네

나는 이곳에 있고

문득

빗자루

흠,
어디서부터 시작할까

담벼락의 길게 늘어진 녹슨 줄기
처마 밑에 둘러쳐져 있는 거미줄

돌아서면 다시 쌓이는 계절
구석구석 쓸다 보면
소라 껍데기의 미끈한 귓속처럼 허허롭다

무심하지
바람의 뒷모습

쓰르라미도
쓰으윽 쓱 쓸쓸

쓸면 쓸수록 작아지는 몸의 뼈

얼마나 많이 나무가 닳고 닳아야
나뭇결 닮은 상형문자 하나 마당에 그릴 수 있을까

쓰고 또 써본다
자욱한 안개 먼지 속에서
빗자루의 귀가 조금씩 자라기 시작한다

눈물

당신과 이별한 후
김치찌개를 끓인다

창밖 유월은 장미와 함께 빛나고
새들은 여느 때와 다름없이 재재거리며 나무와 하늘에 속
해 있는데

찌개 국물이 짜다
물을 계속 부어도

무엇이 문제일까

다시마와 멸치로 국물을 우려내고
묵은지를 썰어 김칫국물 조금 붓고
참치, 새우젓, 두부, 마늘, 파 넣고
자글자글 끓였는데

무엇이 넘치고 부족했던 걸까

짭조름한 옛이야기부터 양념 같은 사람 사는 이야기, 구수
한 유년의 기억, 닿을 듯 말 듯한 설렘, 재치 있는 농담에 깔
깔 웃음까지 고명으로
뜨겁지는 않았으나 따뜻하고 감칠맛 나는 시간들
무엇이 넘치고 부족했던 걸까

물을 계속 부어도
짜다

일몰

오래된 애인

처음 만난 당신과 함께 멀미 나는 바닷가에 갔지요

새 신발을 갈아 신은 우리는

과거를 지우기로 해요

밀물이 들어오는 갯가

햇빛이 잠깐 당신 얼굴을 스치는 길목에서

난 당신 뒤나 옆에 놓인 희미한 그림자

물웅덩이에는 천년을 산다는 푸른 새의 깃털 냄새가 훅 끼치고

12월은 아름다운 애인과 따뜻한 남쪽에서 보내고 싶어요

당신 눈동자가 바닷물 색으로 촉촉하게 젖거나

당신의 구두와 내 운동화가 질퍽해지는 것은 단지 개펄 때문만은 아니라서

해변을 따라 연결된 나무계단으로 발길을 돌렸어요

낮은 소나무가 울창한 숲을 가리키며

여기서 〈불타는 청춘〉이라는 영화를 찍었대요

우리는 영화 밖의 밖이라

소나무 밑 모래들이 버석거리기 시작해요

계단 끝에는 배의 갑판 모양으로 꾸며진 곳

노을이 번지는 바닷가를 배경으로

사진 한 장 찍을까요?

우리는 이미 사각의 액자 속에 갇혀 있어서

당신 눈가가 잠시 파르라니 떨릴 때

바닷속으로 해가 떨어지는 순간까지 같이 있기로 해요

당신은 갈색 난간에 기대어 있고

상처 난 노을을 무심한 듯 담아서 버리는

사이

해는 금방 물속에 잠겨버려

난 그 해를 물속에서 온몸으로 다시 꺼내려 하는데

바다는 서서히 닫히기 시작하네요

집 2

우리 집으로 놀러 오시라

마을 뒤편 오솔길로 접어들면

작은 대나무 숲을 지나 조그마한 텃밭이 딸린

파란 지붕, 빨간 페인트가 벗겨진 대문에 반쯤 무너진 외양간

마당은 잡풀로 무성하고

가끔 뱀과 두꺼비가 출몰하는

외로운 처녀 총각 귀신이 잠시 다녀가기도 하는

벽지는 찢겨지고

장판은 먼지와 작은 벌레들이 숨어드는 곳

그러나 아무리 추운 밤이라도

내 체온으로 그대의 몸은 따뜻할 것이며

마당에 있는 신선한 풀과 우물가의 이끼로 감칠맛 나는 밥상을 당신이라면 기꺼이 차려낼 것이다 해 질 녘, 멀지 않은 바다로 나가 조개와 소라, 방게 등을 잡아 술과 함께 곁들이

면 밤은 우리의 이야기로 한층 깊어질 것이다

　바람에 대나무 서걱거리는 소리와 부엉이 소리를 건너

　세상 같은 건 잊고 아침 늦도록 방바닥에 뒹굴어도 좋다

　나는 그곳에서 풍문처럼 살고 있을 것이다

인연

나비와 꽃이 그려진 이불 위
쇠 비듬 핀
잃어버린 바늘

열 살 당신이
실 꿰진 바늘을 밟아 발바닥을 뚫고
내 심장을 찔렀을 때
살아남은 건
뜻밖의 일

아이 하나 가슴에 품고
눈보라 몰아치는 베링 해海를 건넜던 우리
바다 노을이 풀어준 먼 기억의 퍼즐 조각

철길의 아이와 들판의 아이를 이어준 건

녹이 슨 바늘

당신의 심장과 내 심장을 이어줄
후생의 꽃

우물

빨간 슬레이트 지붕 옆
몽돌로 만들어진 우물

굵은 밧줄에 매달려 있는 고무 두레박
가끔 정오 햇빛에 춤을 추던 죽은 이의 긴 그림자
돌 사이의 이끼는 깊은 초록 숨을 내쉬네

까치발로 몸을 숙여 우물 안을 쳐다보면
물 위로 흔들리는

거기 누구 있니?
크게 외쳐 보면
동굴 같은 밑바닥
뽀글뽀글 올라오는 물방울 입술
돌들이 구르는 소리
웅숭깊은

바람의 냄새

우물가에 늙은 두꺼비 한 마리

눈만 꿈벅꿈벅

돼지 배를 갈라

피와 창자를 씻던 곳

아주머니들의 왁자지껄 소리가 언저리를 서성거리고 있다

우물이 흙으로 메워지던 날

오래 산 구렁이는 땅속에서 나오지 않고

우리 엄마 눈에 백태가 끼기 시작하네

어딘가 놓고 온

잃어버린 녹슨 못 하나

빈집

사람이 벗어놓은 허물

널브러져 있는 녹슨 주전자와 때가 낀 밥그릇

후 날리는 풀씨와 벌레

간혹 갈 곳 없는 영혼이
머무는 안식처

바람의 발이 스치는 자국마다
조금씩 무너지며
내보이는
시간의 뼈

사람들이 미처 가져가지 못한 이야기들로

빈집의 심장이 두근댄다

베개

베개 커버를 벗기자
면 껍데기에 오줌을 지린 것 같은 누런 자국

솜이 튀어나올 만큼 헐거워진 곳에 검정 실로 시침질

할머니,
실 끝을 무딘 이로 물어뜯으셨나 보다

얼룩이
낡은 보물 지도인지
죽은 이의 말라버린 뇌수인지

장마 진 무덤의 흙냄새

할머니는 아직도 나의 머리를 당신의 베개에 누이시네

솜이 점점 무거워진다

중년

올해도 산 뿌리가 몸살을 앓는다
원시림의 기억을 상기한 듯
강줄기가 지나간 자리는
주름이 자글자글하다

마음이 머문 자리마다
흉터투성이

오래된 기억들도 넝마처럼
너덜너덜

당신이 지나간 몸뚱어리
헛배만 불러 두루뭉술

긴장이라곤 하나 없는 유리 바다

꿈속에서는

머리 풀어헤친 나무들이

저벅저벅 밤새 걸어 다니고

다른 삶을 꿈꾸다

한쪽 발이 삐끗

지구 밖으로 미끄러진다

푸른 계단

올려다보면
귀퉁이가 누렇게 퇴색된 읽다만 책이 구겨져 있다

무릎 몇 개 맞추어
한 단 한 단 다리를 놓다 보면
짱짱해지는 힘줄

두 손에는 숨 몇 알과
뛰는 심장을 받들고
겨우 옥탑방에 오르면
고만고만한 산동네 풍경

새는 무심히 날아오르고
아이들은 노란 차에서 우르르 내려
핸드폰 속으로

무거운 침묵의 공기 속 우중충한 하늘

허공에 발을 대면

그제야 바람이 불고

눈보라가 날리기 시작한다

바닥을 치면

다시 올라갈 수 있다고

반도네온으로 연주되는

망각의 점이 휘날릴 때까지

지구의 바다가 한쪽으로 쏠리면서

균형 잃은 나를 슬쩍 받아줄 때까지

지금은 축제의 시간

지금은 축제의 시간

나무를 붙들고 악착같이 울어대던 매미도 껍질의 무늬로
반짝이고

마음 울울한 숲의 나뭇잎은

가느다란 잎맥의 줄기 혈관 따라 피의 색이 달라지는 때

곪아 터져야

푸르댕댕 곰팡이가 피지

균열이 생겨야

바람이 에돌아가고

벌레가 갉아대기 시작하지

부스러지는 게 좋아

크랙 크랙 크랙커

균열이 모두를 살게 해

그러므로 지금은 한없이 즐거운 계절

축제처럼 머리를 휘날리는 나무

이제 먼 시간 속을 달려온

눈발이 허허로이 입김을 불면

운 좋게 살아남았던 조그만 생명붙이도

조용히 눈을 감을 테지

그러나 걱정일랑 하지 마시길

데구루루 구르며

눈동자가 우리를 쫓아올 터이니

자, 그럼 모두 그동안 저장해 놓았던 빨간 피를 한 잔 가득

들이킵시다

그들이 속히 다른 몸을 찾을 수 있도록

흰나비

흰나비가 날개를 접는데 한 생이 걸리고
당신을 완전히 잊는 데도 한 생

내 젖은 날개를
꽃인 듯 빛나는 당신 그늘에서 말리고
우연인 듯 당신 손등에
살며시 앉았을 때
날개에서 떨어지는 살비듬은
전생에 묻혀온 별빛 가루

정말로 사랑해서 나를 잃었던 걸까
아니면 당신이 어느 행성
헛발에 미끄러졌던 걸까
기억은 지울수록 선명해

날개를 접을 때

또 한 생이 흐르고

당신이 내 희디흰 날개에

큰 눈 무늬를 새기는 동안

또 한 생이 흐르고

당신 어깨에

살짝 묻은 날개 향기를

잊지 못해 잊힐 때

후생은

익숙하고도 낯선

두꺼운 책으로 펼쳐진다

회전목마

아이와 함께 회전목마를 타요

회전목마를 탄다는 것은 당신이 쓰다만 다이어리를 내가

이어 쓰는 것

목마는 위아래로 천천히 올라갔다 내려갔다 하며

시계 반대 방향으로만 돌아요

비보호 우회전이나 직진은 안 돼요

사람들이 우리를 보고 손목을 잘라 손을 흔들고

배경이 자꾸 얼굴을 바꿔요

안녕이란 말은 안녕 안녕하며 바람에 흩어져요

속도의 어지러움 따라

아이들은 화살촉처럼 금방 자라요

우리의 머리카락이 먼지처럼 하얗게 날리네요

곧 눈이 올 것 같아요

이제 모두 집으로 돌아갈 시간

목마른 목마와 망각의 때가 낀 거울을 닦아야 해요

참, 차르르 척척 기름칠하는 것도 잊지 말아요

산 위에서 내려온 안개 군단이 저벅저벅 걸어 다녀요
아침볕과 함께 우르르
한 무리의 사람들이 몰려오고 있네요
자세히 보니 우리의 피를 이은 사람들이에요
그들도 울음을 웃음으로 치장한 채 회전목마를 타는군요
어서 부서지는 박수를 햇빛으로 모아줍시다

우리가 쓰다만 다이어리를 잘도 이어 쓰고 있네요
쉿
찰가닥찰가닥 지구가 돌아가는 소리가 들려요

철길

기차의 바퀴가 기억을 읽는다

철컥철컥

엄마의 등뼈 하나하나 건너며

뚝뚝

더운 땀을 흘리며

철철

귀퉁이가 낡은 책을 읽고 또 읽는다

풍경을 지우며

후-

오래되고 슬픈 추억을 되새김질한다

칙칙

엿가락 같은 선을 넘지도 않고

기차는 자꾸만 자꾸만 거꾸로 간다

녹이 슨 본적本籍으로

4부

겨울

첫눈 2

이 지상에 내리는 것은 모두 첫눈

무수한 육각형 눈꽃의 결정체
신이 만들다 버린 손뜨개

새로 태어난 아이 첫눈을 뜨고 쳐다본다
초점 없이
밤하늘 별들이 보내는 첫 윙크
살얼음 낀 호수의 작은 기포들의 맑은 눈
겨울잠에서 깬 누룩뱀의 천진한 눈
땅을 비집고 올라오는 싹도
첫눈을 틔운다

오늘
당신이 잠시 다녀간
내 마음속에도
자분자분 첫눈이 내린다

첫, 눈

당신의 눈에 눈가리개를 해요
두 손을 내밀어 봐요
양손 가득 먹구름 뭉치를 드릴 터이니
내 입속에 빨다 남은 눈깔사탕도
당신의 입속에 건네 드릴게요

창문 앞에 눈들이 서성대고 있어요
말해진 것과 말해지지 않는 것 사이
스친 것과 스쳐지지 않는 것 사이
차가운 것과 미지근한 것 사이
춤을 추고 있네요

다리 잘린 참새 한 마리가
첫, 첫, 첫

마지막은 내가 눈가리개를 할 차례
like a virgin

신

어느 해 겨울

　타이어가 빙 돌 정도의 빙판길 따라 교회 옆 용봉산이 올려다보이는 곳 컨테이너 한 채가 자리 잡고 있는 좁은 마당으로 차를 댔다

　용하다는 카드 점을 잘 치는 베트남 여자가 나를 보더니 좀 늦었다며 약속은 중요한 거라 했다 카드를 일곱 번 섞은 후, 탁자 위에 아홉 장의 카드를 깔고는 한 장을 뽑으라 한다 내가 직장을 바꾸고 싶다고 하니 공부를 열심히 하면 좋은 운이 들어 있어 합격할 것이지만 자기는 머리가 나빠 한국 국적 시험을 보면 자꾸 떨어진다며 얼굴을 찡그렸다 나는 포기하지 않고 반복해서 열심히 공부하면 꼭 붙을 거라며 이런 저런 대화를 나누던 중 갑자기 울리는 핸드폰 벨소리 그녀가 남편인 듯한 사람과 서투른 한국말로 언성을 높여 통화한다 그 큰 눈에서 눈물을 뚝뚝 흘리며 너무 속상하다고 남편이 돈을 벌면 자기한테는 안 주고 이혼한 전 부인한테 돈을 부

친다고 자기는 이 집안에서 누구한테도 대우를 못 받는다고 울먹였다 나는 한국 국적을 빨리 따서 지금 남편과 이혼하고 독립하라고 조언해 주었다 자기도 그러고 싶은데 자신이 없다고 연신 어깨를 들썩였다 나는 그녀의 따뜻한 두 손을 잡으며 다시 새 힘을 내보라 말을 건넸다 20분가량 그녀의 딱한 사정을 더 들은 후, 나는 짧게 포옹을 나누며 다음에 또 오겠노라 복채가 든 봉투를 슬며시 놓고는 습기 찬 신발장에서 흰 신발을 꺼내는데 그녀의 뒤꿈치가 접힌 검정 신발이 놓여 있었다

컨테이너 앞에 찍힌 눈 위, 언 발자국 위에 다시 발을 디디며 돌아오는 길, 얼음 부스러기들이 복병처럼 사위를 쏘아보고 있었다

섬

잡은 손을 놓쳤다

암전

이루지 못한 꿈들만 바위 머리 위에
무성히 자라

갈매기들 무심히 앉았다 가는 곳

검은 바닷물 위
별들의 긴 그림자
으르렁거리는 파도 소리는
잠에 빗금을 그린다

자욱한 바다 안개는
당신의 깊은 숨

바닷물에 푹 절여있는 섬들

섬 뿌리가 길게 자라는 시간

밤마다 성큼성큼 바다 위를 걸어 다니며
골똘히 생각하느라
흐르는
수천 년의 시간

밤, 눈

눈, 바람이 분다
시냇물 가장자리부터 굳어지는 얼음 뼈 부서지는 소리
마른 풀들 위로 살비듬이 우수수 떨어진다

키 큰 가로등 불빛
불나방처럼 달려드는 흰 것들

나무 위 둥지는 조용하고
생선 가시 같은 가지는 허공을 향해 기도하는데
하늘은 색깔을 잃어 괴괴하다

미친 듯이 내리는 눈은
사람의 발자국을 덮쳐
집 위로 하얀 무덤을 만든다

그때

귀를 때리는 고요한 함성

우

우

우

지상을 떠나지 못한 영혼들이

흰옷을 입고

춤을 추는 축제

초대받지 못한 사람들은

깊은 잠에 들고

엄마의 편지

-1997년

현진아, 보아라

날씨가 추워지고 있는디 넌 어떻게 지내고 있느냐

시방 한국은 나라가 부도나게 생겨서 난리도 아니다

빚도 많고 뭐시냐 미국 돈이 부족해서 온 나라 사람들이

금 모으기 운동을 하고 있당께

그랑께 우리도 가만히 있을 수 있간디

할머니 가락지랑 내 열 돈 목걸이 반지 집구석에 있는 금

붙이 몽땅 냈응께

어려울 때 우리나라 사람 하나로 뭉치는 것 보면 대단혀

그나저나 현진아,

너그 아빠나 할머니, 형제간들 다 밥 잘 먹고 건강히 잘 지

내고 있으니께

여기 걱정일랑 하덜 말아라

그니께 너는 거기 이스라엘서 너만 생각하고

음식이 잘 안 맞아도 꼭 삼시세끼 잘 챙겨 먹어라잉

돈 떨어지면 전화해라

부모 생각해서 궁상일랑 떨지 말고

참, 꼭 할 말 있다
거기서 너 좋다고 하는 외국 남자 있으면 한국 올 생각하지 말고
결혼하고 살아라
너 하나 외국에 산다고 해서 섭섭해 할 사람 하나 없으니
너만 행복하면 이 엄마는 아무 상관없다
건강히 잘 있기만을 빈다
그리고 너 때문에 전화통 새것으로 바꿨응께
전화 자주 해라
목소리라도 듣게
너 편지도 기다리마
고창에서 보낸다

엄마가 막내딸에게

폭설

가자, 눈 쌓인 숲으로
모든 말들을 버리고

당신에게 들려줄 새로운 말을 배우러 왔을 적에
자작나무 사잇길
새들이 후드득
살비듬 같은 눈가루를 날려요

지상에서 멀어질수록
나무의 잠 속으로 빠져들어요
숲에 깃든 영혼이 깨울 때까지

숨을 쉬고 내쉴 때마다
하얀 입김이
눈 위에 찍힌 발자국을 지우고
구석진 동굴 속

잠자는 동물의 숨소리가 점점 작아져요

눈의 무게가 무겁게 느껴질 때마다

사람의 말 대신 동물의 소리로

꺼이꺼이 울까 봐요

천장에서 물방울이 뚝뚝 떨어지기 시작하네요

잊어버리지 않으려면

차갑게 얼어있어야 해요

태초의 언어를 배운 반인반수로

잔치국수

그해 겨울

정읍역에서 용산역으로 오는 완행열차

긴 꼬리를 가다듬기 위해 역마다 서는 비둘기호

좌판마다 국수, 우동, 오뎅 국물 넘실대는

연기로 피어오르는 사람들

아직은 젊은 엄마의 콧김으로

창문에 서리는 뿌연 허기

입김을 후후 불며 국물과 함께

목구멍으로 쑥 넘어가는 뜨거움으로

국수만큼 여리고 위태한 엄마의 생명붙이들

다음 역으로 다음 역으로

엄마의 괴춤에 남아서 여전히 짤랑거릴 동전들

아직은 더 살아내야 해

국수 다발 같은 머리를 자르지는 말아야지

짱짱해진 철로 위를

어둑한 한 점을 향해 두 눈을 켜고 달리는 기차

추적추적 바람든 국수 먹는 빗소리

잔칫날처럼 흰 얼굴을 하고

이 빠진 접시처럼 빠져 있는 몇몇 식구

팅팅 불어 있는 식탁 위로

영원히 채워지지 않을 엄마의 허기를 싣고

기차는 달리고 있다

아는, 혹은 모르는 사람

결말을 자의적으로 해석하겠어요
잦은 오해로
펼쳐진 페이지를 찢겠습니다

책이 너덜너덜해지면
당신의 이야기를 새로 만들려고요

당신과 만났던 시간과 풍경을 각색하고
소소한 에피소드로 예쁘게 포장하겠어요

누추한 기억 창고가 바닥나면
당신이란 책이 완성되겠지요

해진 페이지가 차곡차곡 쌓이자
마음속, 무덤이 또 하나 생기네요

비로소 새로운 이야기가 생기는 순간입니다

스노우볼

파릇파릇하게 추억을 보관하고 싶었겠지
이 세상에 없는 사람도 붙잡고 싶었겠지

풍경이 바뀌기 전, 방부 처리하여
스노우볼에 가두어보자
눈 내리는 한 계절만 살고
동화 속, 한 장면만 리메이크되는

미루나무 옆 언니가 나를 업고
눈 쌓인 신작로에서 하염없이 기다리던 버스처럼
오지 않는 계절

점방의 난롯불 옆에서 손님을 기다리는 젊은 엄마
밤늦도록 돌아오지 않는 아버지

과거가 미래가 되는

각

방 네 모서리에
각각 한 명씩 앉아
돌아가며 자리를 바꾸는 놀이

어느새 하나가 사라지고
또 한 명이 사라져도
우리는 서로를 알아보지 못해
잘 안다고 착각하면서
자기가 보고 싶은 것만 보지

그사이 한 얼굴이 사라지고 있네

어떤 얼굴은 눈동자에 황달이 보이고
다른 얼굴은 화가 나 노려보고
웃을수록 찡그린 얼굴이 되곤 하지

마지막 귀퉁이에 누워 있던 사람

병 깊은 신음소리 잦아지는데

우리는 네 모서리에 앉은 사람들

결국은 각자의 모서리에

자신의 얼굴만 쳐다보는

현대시학시인선 143

돌 속의 집

초판 1쇄 발행	2024년 5월 1일

지은이	서현진
발행인	전기화
책임편집	이용헌

발행처	현대시학사
등록일	1969년 1월 21일
등록번호	종로 라 00079호
주소	서울시 종로구 계동길 41
전화	02. 701. 2341
블로그	http://blog. daum. net/hdsh69
이메일	hdsh69@hanmail. net
배포처	(주)명문사 02. 319. 8663

ISBN	979-11-93615-12-6　03810